D1062332

# Splat est un VRAI chef !

D'après le personnage de Rob Scotton

Nathan

Splat regarde Supermatou à la télé.
C'est sa série préférée.

Dans l'épisode d'aujourd'hui,
Supermatou sauve la ville
d'un terrible tremblement de terre.

– Moi aussi je veux être un super-héros !
dit Splat. Attention, un serpent !
N'aie pas peur, Harry Souris ! J'arrive !

Splat réussit à sauver Harry Souris
du méchant serpent.

Mais il ne fait pas attention
au verre posé sur la télé et...
Bang !

– Bravo ! gronde son papa.
Plus de télé !
Et plus de Supermatou !

– Plus de télé ? s'exclame Splat.
– Plus de télé ! dit sa maman.
Pourquoi tu n'irais pas faire
un tour à vélo ?
– D'accord, soupire Splat.

Splat sort se promener.
En faisant du vélo, il oublie sa super bêtise.

Sur la route, il remarque une affiche
qui lui donne une idée géniale.
Il va participer à un concours de gâteaux
pour gagner une télé !

Splat se dépêche de rentrer chez lui
pour faire son super gâteau.
Il ouvre le livre de cuisine de sa maman
et le feuillette avec attention.
Mais aucun des gâteaux du livre
n'a l'air assez génial pour remporter
le concours.

— Je vais inventer ma propre recette
de super gâteau extra-génial, dit Splat.
Une recette unique !

– Voyons voir, dit-il.
J'ai besoin d'un ou deux moules à gâteaux...
peut-être même trois moules.

Splat mélange tous les ingrédients pour
fabriquer son super gâteau extra-génial.

– Avec un peu plus de levure, il sera encore plus gros ! dit Splat à Harry Souris.

Le gâteau est prêt à passer au four.
Mais mettre trop de levure,
c'était une énorme bêtise !

# BOUM !

Tout explose.

Pas de super gâteau ce soir.

Pendant la nuit, Splat réfléchit.
Et le lendemain matin, quand il se réveille,
il sait exactement
comment il va s'y prendre.

Le jour du concours, Splat est prêt.
Grouff est là avec un gâteau.
Kattie est là avec un gâteau.
Et Plume aussi.

Le gâteau de Grouff est le plus gros.
Celui de Kattie est le plus joli.
Celui de Plume est le plus grand.
Est-ce que celui de Splat sera assez génial ?

Les membres du jury examinent les gâteaux.
Ils les goûtent.
Et ils parlent entre eux.

Puis un des juges dit :
– Le président du jury va
maintenant décerner le prix
du Super-Gâteau. Et là... surprise !
Le président du jury, c'est Supermatou !

– Splat, tu es un vrai chef, dit Supermatou...
c'est toi qui remportes la télévision !

Splat est ravi.
De retour à la maison, il dit :
– Vite, c'est l'heure de Supermatou !

– Le vrai chef, c'est toi, Supermatou,
murmure Splat.